SUKEN NOTEBOOK

チャート式
基礎からの　数学 C

完 成 ノ ー ト

【ベクトル】

　本書は，数研出版発行の参考書「チャート式 基礎からの　数学 C」の
　　　　　　第 1 章「平面上のベクトル」，　第 2 章「空間のベクトル」
の例題と練習の全問を掲載した，書き込み式ノートです。
　本書を仕上げていくことで，自然に実力を身につけることができます。

目　次

第 1 章　平面上のベクトル

1. ベクトルの演算　　………… 2
2. ベクトルの成分　　………… 8
3. ベクトルの内積　　………… 13
4. 位置ベクトル，ベクトルと図形
　　　　　　　　………… 31
5. ベクトル方程式　………… 49

第 2 章　空間のベクトル

6. 空間の座標　　　………… 65
7. 空間のベクトル，ベクトルの成分
　　　　　　　　………… 69
8. 空間のベクトルの内積　……… 78
9. 位置ベクトル，ベクトルと図形
　　　　　　　　………… 85
10. 座標空間の図形　………… 108
11. 発展 平面の方程式，直線の方程式
　　　　　　　　………… 114

231002

1．ベクトルの演算

基本 例題1

1辺の長さが2である正三角形 ABC において，辺AB，BC，CA それぞれの中点を L，M，N とする。6点 A，B，C，L，M，N を使って表されるベクトルのうち，次のものをすべて求めよ。

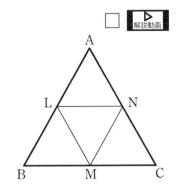

□　解説動画

(1)　$\overrightarrow{\text{AL}}$ と等しいベクトル

(2)　$\overrightarrow{\text{AB}}$ と向きが同じベクトル

(3)　$\overrightarrow{\text{MN}}$ の逆ベクトル

(4)　$\overrightarrow{\text{BC}}$ に平行で大きさが1のベクトル

練習 (基本) 1

1辺の長さが1である正六角形 ABCDEF の6頂点と，対角線 AD，BE の交点 O を使って表される ベクトルのうち，次のものをすべて求めよ。

(1)　$\overrightarrow{\text{AB}}$ と等しいベクトル

(2)　$\overrightarrow{\text{OA}}$ と向きが同じベクトル

(3)　$\overrightarrow{\text{AC}}$ の逆ベクトル

(4)　$\overrightarrow{\text{AF}}$ に平行で大きさが2のベクトル

基本 例題 2

右の図で与えられた 3 つのベクトル $\vec{a}$, $\vec{b}$, $\vec{c}$ について，
次のベクトルを図示せよ。

(1) $\vec{a}+\vec{b}$ (2) $\vec{b}-\vec{a}$

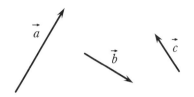

(3) $2\vec{a}$ (4) $-3\vec{b}$

(5) $\vec{a}+3\vec{b}-2\vec{c}$

練習 (基本) **2**   右の図で与えられた 3 つのベクトル $\vec{a}$, $\vec{b}$, $\vec{c}$ に
ついて，ベクトル $\vec{a}+2\vec{b}$, $2\vec{a}-\vec{b}$, $2\vec{a}+\vec{b}-\vec{c}$ を図示せよ。

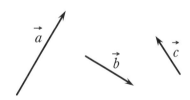

4

基本 例題 3

(1) 次の等式が成り立つことを証明せよ。

$$\overrightarrow{AB}+\overrightarrow{EC}+\overrightarrow{FD}=\overrightarrow{EB}+\overrightarrow{FC}+\overrightarrow{AD}$$

(2) (ア) $\vec{x}=2\vec{a}-3\vec{b}-\vec{c},\ \vec{y}=-4\vec{a}+5\vec{b}-3\vec{c}$ のとき，$\vec{x}-\vec{y}$ を $\vec{a},\ \vec{b},\ \vec{c}$ で表せ。

(イ) $4\vec{x}-3\vec{a}=\vec{x}+6\vec{b}$ を満たす $\vec{x}$ を $\vec{a},\ \vec{b}$ で表せ。

(ウ) $3\vec{x}+\vec{y}=\vec{a},\ 5\vec{x}+2\vec{y}=\vec{b}$ を満たす $\vec{x},\ \vec{y}$ を $\vec{a},\ \vec{b}$ で表せ。

練習 (基本) **3** (1) 次の等式が成り立つことを証明せよ。

$$\overrightarrow{AC}+\overrightarrow{BP}+\overrightarrow{CQ}+\overrightarrow{RA}=\overrightarrow{BC}+\overrightarrow{CP}+\overrightarrow{DQ}+\overrightarrow{RD}$$

(2) $3\vec{x}+\vec{a}-2\vec{b}=5(\vec{x}+\vec{b})$ を満たす $\vec{x}$ を $\vec{a}$, $\vec{b}$ で表せ。

(3) $5\vec{x}+3\vec{y}=\vec{a}$, $3\vec{x}-5\vec{y}=\vec{b}$ を満たす $\vec{x}$, $\vec{y}$ を $\vec{a}$, $\vec{b}$ で表せ。

基本 例題 4 □

(1) 平面上に異なる 4 点 A, B, C, D と直線 AB 上にない点 O がある。$\overrightarrow{OA}=\vec{a}$, $\overrightarrow{OB}=\vec{b}$ とするとき, $\overrightarrow{OC}=3\vec{a}-2\vec{b}$, $\overrightarrow{OD}=-3\vec{a}+4\vec{b}$ であれば $\overrightarrow{AB}/\!/\overrightarrow{CD}$ である。このことを証明せよ。

(2) $|\vec{a}|=3$ のとき, $\vec{a}$ と平行な単位ベクトルを求めよ。

(3) AB=3, AD=4 の長方形 ABCD がある。$\overrightarrow{AB}=\vec{b}$, $\overrightarrow{AD}=\vec{d}$ とするとき, ベクトル $\overrightarrow{BD}$ と平行な単位ベクトルを $\vec{b}$, $\vec{d}$ で表せ。

練習 (基本) **4** (1) $\vec{a} \neq \vec{0}$, $\vec{b} \neq \vec{0}$, $\vec{a} \nparallel \vec{b}$ のとき, $3\vec{p} = 4\vec{a} - \vec{b}$, $5\vec{q} = -4\vec{a} + 3\vec{b}$ とする。このとき, $(2\vec{a} + \vec{b}) /\!/ (\vec{p} + \vec{q})$ であることを示せ。

(2) $AB = 3$, $AD = 4$ の長方形 ABCD がある。$\overrightarrow{AB} = \vec{b}$, $\overrightarrow{AD} = \vec{d}$ とするとき, ベクトル $\overrightarrow{AB} + \overrightarrow{AC}$ と平行な単位ベクトルを $\vec{b}$, $\vec{d}$ で表せ。

基 本 例題 5　☐ ▶解説動画

正六角形 ABCDEF において，中心を O，辺 CD を 2 : 1 に内分する点を P，辺 EF の中点を Q とする。$\overrightarrow{AB}=\vec{a}$，$\overrightarrow{AF}=\vec{b}$ とするとき，ベクトル $\overrightarrow{BC}$, $\overrightarrow{EF}$, $\overrightarrow{CE}$, $\overrightarrow{AC}$, $\overrightarrow{BD}$, $\overrightarrow{QP}$ をそれぞれ $\vec{a}$, $\vec{b}$ で表せ。

練習(基本)**5**　(1)　正六角形 ABCDEF において，中心を O，辺 CD を 2 : 1 に内分する点を P，辺 EF の中点を Q とする。$\overrightarrow{AB}=\vec{a}$，$\overrightarrow{AF}=\vec{b}$ とするとき，ベクトル $\overrightarrow{DF}$, $\overrightarrow{OP}$, $\overrightarrow{BQ}$ をそれぞれ $\vec{a}$, $\vec{b}$ で表せ。

(2)　平行四辺形 ABCD において，辺 BC の中点を L，線分 DL を 2 : 3 に内分する点を M とする。$\overrightarrow{AB}=\vec{b}$，$\overrightarrow{AD}=\vec{d}$ とするとき，$\overrightarrow{AM}$ を $\vec{b}$, $\vec{d}$ で表せ。

２．ベクトルの成分

基本 例題6 $\square$ 解説動画

(1) $\vec{a}=(3,\ 2),\ \vec{b}=(2,\ -1)$ のとき，次のベクトルの成分を求めよ。また，その大きさを求めよ。

　(ア)　$\vec{a}+\vec{b}$　　　　　　　　　　　　　　(イ)　$3\vec{a}-4\vec{b}$

(2)　2つのベクトル $\vec{a},\ \vec{b}$ において，$2\vec{a}-\vec{b}=(4,\ 1),\ 3\vec{a}-2\vec{b}=(7,\ 0)$ のとき，$\vec{a}$ と $\vec{b}$ を求めよ。

(3)　$\vec{p}=(-7,\ 2),\ \vec{x}=(1,\ a),\ \vec{y}=(b,\ 2)$ とする。等式 $\vec{p}=2\vec{x}-3\vec{y}$ が成り立つとき，$a,\ b$ の値を求めよ。

練習 (基本) **6** (1) $\vec{a}=(-3,\ 4)$, $\vec{b}=(1,\ -5)$ のとき，$2\vec{a}+\vec{b}$ の成分と大きさを求めよ。

(2) 2つのベクトル $\vec{a}$, $\vec{b}$ において，$\vec{a}+2\vec{b}=(-2,\ -4)$，$2\vec{a}+\vec{b}=(5,\ -2)$ のとき，$\vec{a}$ と $\vec{b}$ を求めよ。

(3) $\vec{x}=(a,\ 2)$, $\vec{y}=(3,\ b)$, $\vec{p}=(b+1,\ a-2)$ とする。等式 $\vec{p}=3\vec{x}-2\vec{y}$ が成り立つとき，a, b の値を求めよ。

基本 例題 7

$\vec{a}=(1,\ 2)$, $\vec{b}=(2,\ 1)$ であるとき，$\vec{c}=(11,\ 10)$ を $s\vec{a}+t\vec{b}$ の形に表せ。

練習 (基本) **7** $\vec{a}=(3,\ 2)$, $\vec{b}=(0,\ -1)$ のとき，$\vec{p}=(6,\ 1)$ を $s\vec{a}+t\vec{b}$ の形に表せ。

基本 例題 8

2 つのベクトル $\vec{a}=(3,\ -1)$, $\vec{b}=(7-2t,\ -5+t)$ が平行になるように，t の値を定めよ。

練習 (基本) **8** (1) 2 つのベクトル $\vec{a}=(14,\ -2)$, $\vec{b}=(3t+1,\ -4t+7)$ が平行になるように，t の値を定めよ。

(2) 2つのベクトル $\vec{m}=(1,\ p),\ \vec{n}=(p+3,\ 4)$ が平行になるように，p の値を定めよ。

基本 例題9

□ ▶ 解説動画

3点 A$(1,\ 3)$，B$(3,\ -2)$，C$(4,\ 1)$ がある。

(1) $\overrightarrow{AB},\ \overrightarrow{CA}$ の成分と大きさをそれぞれ求めよ。

(2) 四角形 ABCD が平行四辺形であるとき，点 D の座標を求めよ。

(3) (2)の平行四辺形について，2本の対角線の長さを求めよ。

練習 (基本)**9** (1) 4点 A$(2,\ 4)$，B$(-3,\ 2)$，C$(-1,\ -7)$，D$(4,\ -5)$ を頂点とする四角形 ABCD は平行四辺形であることを証明せよ。

⑵ 3点 A (0, 2)，B (−1, −1)，C (3, 0) と，もう1つの点 D を結んで平行四辺形を作る。第4の頂点 D の座標を求めよ。

基本 例題 10

□ ▷解説動画

t は実数とする。$\vec{a} = (2,\ 1)$，$\vec{b} = (3,\ 4)$ に対して，$|\vec{a} + t\vec{b}|$ は $t = {}^{\mathcal{P}}\boxed{}$ のとき最小値 ${}^{\mathcal{I}}\boxed{}$ をとる。

練習 (基本) **10** $\vec{a} = (11,\ 23)$，$\vec{b} = (-2,\ -3)$ に対して，$|\vec{a} + t\vec{b}|$ を最小にする実数 t の値と $|\vec{a} + t\vec{b}|$ の最小値を求めよ。

3．ベクトルの内積

基本 例題 11

$\angle A = 90°$，$AB = 5$，$AC = 4$ の三角形において，次の内積を求めよ。

(1)　$\overrightarrow{BA} \cdot \overrightarrow{BC}$

(2)　$\overrightarrow{AC} \cdot \overrightarrow{CB}$

(3)　$\overrightarrow{AB} \cdot \overrightarrow{BA}$

14

練習（基本）**11**　△ABCにおいて，AB＝$\sqrt{2}$，CA＝2，∠B＝45°，∠C＝30° であるとき，次の内積を求めよ。

(1)　$\overrightarrow{BA}\cdot\overrightarrow{BC}$

(2)　$\overrightarrow{CA}\cdot\overrightarrow{CB}$

(3)　$\overrightarrow{AB}\cdot\overrightarrow{BC}$

(4)　$\overrightarrow{BC}\cdot\overrightarrow{CA}$

基本 例題 12

次のベクトル $\vec{a}$, $\vec{b}$ の内積と，そのなす角 θ を求めよ。

(1) $\vec{a}=(-1,\ 1)$, $\vec{b}=(\sqrt{3}-1,\ \sqrt{3}+1)$

(2) $\vec{a}=(1,\ 2)$, $\vec{b}=(1,\ -3)$

練習 (基本) **12** (1) 2つのベクトル $\vec{a}=(\sqrt{3},\ 1)$, $\vec{b}=(-1,\ -\sqrt{3})$ に対して，その内積と，なす角 θ を求めよ。

(2) $\vec{a}$, $\vec{b}$ のなす角が $135°$，$|\vec{a}|=\sqrt{6}$，$\vec{b}=(-1,\ \sqrt{2})$ のとき，内積 $\vec{a}\cdot\vec{b}$ を求めよ。

基本 例題 13

(1) p を正の数とし，ベクトル $\vec{a}=(1,\ 1)$ と $\vec{b}=(1,\ -p)$ があるとする。いま，$\vec{a}$ と $\vec{b}$ のなす角が 60° のとき，p の値を求めよ。

(2) $\vec{a}=(-1,\ 3)$，$\vec{b}=(m,\ n)$ (m と n は正の数)，$|\vec{b}|=\sqrt{5}$ のとき，$\vec{a}$ と $\vec{b}$ のなす角は 45° である。このとき，m，n の値を求めよ。

練習 (基本) **13** (1) $\vec{p}=(-3, -4)$ と $\vec{q}=(a, -1)$ のなす角が $45°$ のとき，定数 a の値を求めよ。

(2) $\vec{a}=(1, -\sqrt{3})$ とのなす角が $120°$，大きさが $2\sqrt{10}$ であるベクトル $\vec{b}$ を求めよ。

基本 例題 14

(1) 2つのベクトル $\vec{a} = (x-1, 3)$, $\vec{b} = (1, x+1)$ が垂直になるような x の値を求めよ。

(2) ベクトル $\vec{a} = (2, 1)$ に垂直で，大きさ $\sqrt{10}$ のベクトル $\vec{u}$ を求めよ。

練習 (基本) **14** (1) 2つのベクトル $\vec{a} = (x+1, x)$, $\vec{b} = (x, x-2)$ が垂直になるような x の値を求めよ。

(2) ベクトル $\vec{a} = (1, -3)$ に垂直である単位ベクトルを求めよ。

基本 例題 15

(1) 等式 $|\vec{a}+\vec{b}|^2+|\vec{a}-\vec{b}|^2=2(|\vec{a}|^2+|\vec{b}|^2)$ を証明せよ。

(2) $|\vec{a}|=2$, $|\vec{b}|=1$ で，$\vec{a}-\vec{b}$ と $2\vec{a}+5\vec{b}$ が垂直であるとき，$\vec{a}$ と $\vec{b}$ のなす角 θ を求めよ。

練習 (基本) **15** (1) 次の等式を証明せよ。

(ア) $(\vec{p}-\vec{a})\cdot(\vec{p}+2\vec{b})=|\vec{p}|^2-(\vec{a}-2\vec{b})\cdot\vec{p}-2\vec{a}\cdot\vec{b}$

(イ) $|\vec{a}+\vec{b}+\vec{c}|^2+|\vec{a}|^2+|\vec{b}|^2+|\vec{c}|^2=|\vec{a}+\vec{b}|^2+|\vec{b}+\vec{c}|^2+|\vec{c}+\vec{a}|^2$

(2) $\vec{0}$ でない 2 つのベクトル $\vec{a}$, $\vec{b}$ がある。$2\vec{a}+\vec{b}$ と $2\vec{a}-\vec{b}$ が垂直で,かつ $\vec{a}$ と $\vec{a}-\vec{b}$ が垂直である

　 とき,$\vec{a}$ と $\vec{b}$ のなす角を求めよ。

基本 例題 16

ベクトル $\vec{a}$, $\vec{b}$ について $|\vec{a}|=\sqrt{3}$,$|\vec{b}|=2$,$|\vec{a}-\vec{b}|=\sqrt{5}$ であるとき

(1) 内積 $\vec{a}\cdot\vec{b}$ の値を求めよ。

(2) ベクトル $2\vec{a}-3\vec{b}$ の大きさを求めよ。

(3) ベクトル $\vec{a}+t\vec{b}$ の大きさが最小となるように実数 t の値を定め,そのときの最小値を求めよ。

練習 (基本) **16** (1) 2つのベクトル $\vec{a}$, $\vec{b}$ が, $|\vec{a}|=1$, $|\vec{b}|=2$, $|\vec{a}+2\vec{b}|=3$ を満たすとき, $\vec{a}$ と $\vec{b}$ のなす角 θ および $|\vec{a}-2\vec{b}|$ の値を求めよ。

(2) ベクトル $\vec{a}$, $\vec{b}$ について, $|\vec{a}|=2$, $|\vec{b}|=1$, $|\vec{a}+3\vec{b}|=3$ とする。t が実数全体を動くとき, $|\vec{a}+t\vec{b}|$ の最小値は $\boxed{}$ である。

解説動画

重要 例題 17 □

k は実数の定数とする。$|\vec{a}| = 2$, $|\vec{b}| = 3$, $|\vec{a} - \vec{b}| = \sqrt{7}$ とするとき, $|k\vec{a} + t\vec{b}| > \sqrt{3}$ がすべての実数 t に対して成り立つような k の値の範囲を求めよ。

練習 (重要) **17** ベクトル $\vec{p}=\vec{a}+\vec{b}$, $\vec{q}=\vec{a}-\vec{b}$ は, $|\vec{p}|=4$, $|\vec{q}|=2$ を満たし, $\vec{p}$ と $\vec{q}$ のなす角は $60°$ である。

(1) 2つのベクトルの大きさ $|\vec{a}|$, $|\vec{b}|$, および内積 $\vec{a}\cdot\vec{b}$ を求めよ。

(2) k は実数の定数とする。すべての実数 t に対して $|t\vec{a}+k\vec{b}| \geqq |\vec{b}|$ が成り立つような k の値の範囲を求めよ。

基本 例題 18

(1) △OAB において，$\overrightarrow{\mathrm{OA}}=\vec{a}$，$\overrightarrow{\mathrm{OB}}=\vec{b}$ のとき，△OAB の面積 S を $\vec{a}$, $\vec{b}$ で表せ。

(2) (1) を利用して，3 点 O $(0,\ 0)$，A $(a_1,\ a_2)$，B $(b_1,\ b_2)$ を頂点とする △OAB の面積 S を a_1, a_2, b_1, b_2 を用いて表せ。

練習 (基本) 18 次の 3 点を頂点とする △ABC の面積 S を求めよ。

(1) A $(0,\ 0)$，B $(3,\ 1)$，C $(2,\ 4)$

(2) A $(-2,\ 1)$，B $(3,\ 0)$，C $(2,\ 4)$

重要 例題 19

次の不等式を証明せよ。

(1) $-|\vec{a}||\vec{b}| \leqq \vec{a} \cdot \vec{b} \leqq |\vec{a}||\vec{b}|$

(2) $|\vec{a}| - |\vec{b}| \leqq |\vec{a} + \vec{b}| \leqq |\vec{a}| + |\vec{b}|$

練習 (重要) **19**　次の不等式を証明せよ。

(1)　$|\vec{a}|^2+|\vec{b}|^2+|\vec{c}|^2 \geqq \vec{a}\cdot\vec{b}+\vec{b}\cdot\vec{c}+\vec{c}\cdot\vec{a}$　　等号は $\vec{a}=\vec{b}=\vec{c}$ のときのみ成立。

(2)　$|\vec{a}+\vec{b}+\vec{c}|^2 \geqq 3(\vec{a}\cdot\vec{b}+\vec{b}\cdot\vec{c}+\vec{c}\cdot\vec{a})$　　等号は $\vec{a}=\vec{b}=\vec{c}$ のときのみ成立。

重要 例題 20

平面上のベクトル $\vec{a}$, $\vec{b}$ が $|2\vec{a}+\vec{b}|=1$, $|\vec{a}-3\vec{b}|=1$ を満たすように動くとき, $\dfrac{3}{7} \leqq |\vec{a}+\vec{b}| \leqq \dfrac{5}{7}$ となることを証明せよ。

練習 (重要) **20** $\vec{a},\ \vec{b}$ を平面上のベクトルとする。$3\vec{a}+2\vec{b}$ と $2\vec{a}-3\vec{b}$ がともに単位ベクトルであるとき,ベクトルの大きさ $|\vec{a}+\vec{b}|$ の最大値を求めよ。

$\boxed{重}\boxed{要}$ 例題 21

(1) xy 平面上に点 A $(2,\ 3)$ をとり，更に単位円 $x^2+y^2=1$ 上に点 P $(x,\ y)$ をとる。また，原点を O とする。2 つのベクトル $\overrightarrow{\mathrm{OA}}$，$\overrightarrow{\mathrm{OP}}$ のなす角を θ とするとき，内積 $\overrightarrow{\mathrm{OA}}\cdot\overrightarrow{\mathrm{OP}}$ を θ のみで表せ。

(2) 実数 $x,\ y$ が条件 $x^2+y^2=1$ を満たすとき，$2x+3y$ の最大値，最小値を求めよ。

練習 (重要) **21** (1) 実数 x, y, a, b が条件 $x^2+y^2=1$ および $a^2+b^2=2$ を満たすとき, $ax+by$ の最大値, 最小値を求めよ。

(2) 実数 x, y, a, b が条件 $x^2+y^2=1$ および $(a-2)^2+(b-2\sqrt{3})^2=1$ を満たすとき, $ax+by$ の最大値, 最小値を求めよ。

4．位置ベクトル，ベクトルと図形

基本 例題 22

3点 A$(\vec{a})$，B$(\vec{b})$，C$(\vec{c})$ を頂点とする △ABC において，辺 AB を 3：2 に内分する点を P，辺 BC を 3：4 に外分する点を Q，辺 CA を 4：1 に外分する点を R とし，△PQR の重心を G とする。次のベクトルを $\vec{a}$，$\vec{b}$，$\vec{c}$ で表せ。

(1) 点 P，Q，R の位置ベクトル

(2) $\overrightarrow{PQ}$

(3) 点 G の位置ベクトル

練習 (基本) **22** 3点 A$(\vec{a})$，B$(\vec{b})$，C$(\vec{c})$ を頂点とする △ABC において，辺 BC を 2：3 に内分する点を D，辺 BC を 1：2 に外分する点を E，△ABC の重心を G，△AED の重心を G′ とする。次のベクトルを $\vec{a}$，$\vec{b}$，$\vec{c}$ で表せ。

(1) 点 D，E，G′ の位置ベクトル

(2) $\overrightarrow{\mathrm{GG'}}$

基本 例題 23

△ABC の内部に点 P があり，$6\overrightarrow{\mathrm{PA}}+3\overrightarrow{\mathrm{PB}}+2\overrightarrow{\mathrm{PC}}=\vec{0}$ を満たしている。

(1) 点 P はどのような位置にあるか。

(2) △PAB，△PBC，△PCA の面積の比を求めよ。

練習 (基本) **23**　△ABC の内部に点 P があり，$4\overrightarrow{PA}+5\overrightarrow{PB}+3\overrightarrow{PC}=\vec{0}$ を満たしている。

(1)　点 P はどのような位置にあるか。

(2)　面積比 △PAB：△PBC：△PCA を求めよ。

基本 例題 24

四角形 ABCD の辺 AB, BC, CD, DA の中点を, それぞれ K, L, M, N とし, 対角線 AC, BD の中点を, それぞれ S, T とする。

(1) 頂点 A, B, C, D の位置ベクトルを, それぞれ $\vec{a}$, $\vec{b}$, $\vec{c}$, $\vec{d}$ とするとき, 線分 KM の中点の位置ベクトルを $\vec{a}$, $\vec{b}$, $\vec{c}$, $\vec{d}$ を用いて表せ。

(2) 線分 LN, ST の中点の位置ベクトルをそれぞれ $\vec{a}$, $\vec{b}$, $\vec{c}$, $\vec{d}$ を用いて表すことにより, 3 つの線分 KM, LN, ST は 1 点で交わることを示せ。

練習 (基本) **24** △ABC の辺 BC, CA, AB をそれぞれ $m:n$ $(m>0,\ n>0)$ に内分する点を P, Q, R とするとき, △ABC と △PQR の重心は一致することを示せ。

35

基 本 例題 25

平行四辺形 ABCD において，対角線 AC を $3:1$ に内分する点を P，辺 BC を $2:1$ に内分する点を Q とする。このとき，3 点 D，P，Q は一直線上にあることを証明せよ。

練習 (基本) **25** 平行四辺形 ABCD において，辺 AB を $3:2$ に内分する点を P，対角線 BD を $2:5$ に内分する点を Q とするとき，3 点 P，Q，C は一直線上にあることを証明せよ。また，PQ：QC を求めよ。

基本 例題 26

△OAB において，$\overrightarrow{\mathrm{OA}}=\vec{a}$，$\overrightarrow{\mathrm{OB}}=\vec{b}$ とする。辺 OA を $3:2$ に内分する点を C，辺 OB を $3:4$ に内分する点を D，線分 AD と BC との交点を P とし，直線 OP と辺 AB との交点を Q とする。次のベクトルを $\vec{a}$，$\vec{b}$ を用いて表せ。

(1) $\overrightarrow{\mathrm{OP}}$

(2) $\overrightarrow{\mathrm{OQ}}$

練習 (基本) **26**　△OABにおいて，辺 OA を $2:1$ に内分する点を L，辺 OBの中点を M，BL と AM の交点を P とし，直線 OP と辺 AB の交点を N とする。$\overrightarrow{OP}$，$\overrightarrow{ON}$ をそれぞれ $\overrightarrow{OA}$ と $\overrightarrow{OB}$ を用いて表せ。

基本 例題 27

平面上に △OAB があり，OA＝5，OB＝6，AB＝7 とする。また，△OAB の垂心を H とする。

(1) cos∠AOB を求めよ。

(2) $\overrightarrow{OA}=\vec{a}$，$\overrightarrow{OB}=\vec{b}$ とするとき，$\overrightarrow{OH}$ を $\vec{a}$，$\vec{b}$ を用いて表せ。

練習 (基本) **27** 平面上に △OAB があり，OA＝1，OB＝2，∠AOB＝45° とする。また，△OAB の垂心を H とする。$\overrightarrow{\mathrm{OA}}=\vec{a}$，$\overrightarrow{\mathrm{OB}}=\vec{b}$ とするとき，$\overrightarrow{\mathrm{OH}}$ を $\vec{a}$，$\vec{b}$ を用いて表せ。

基本 例題 28　　　　　　　　　　　　　　　　　　　　　　　□ ▷ 解説動画

(1)　AB＝8，BC＝7，CA＝5 である △ABC において，内心を I とするとき，$\overrightarrow{\mathrm{AI}}$ を $\overrightarrow{\mathrm{AB}}$，$\overrightarrow{\mathrm{AC}}$ で表せ。

(2)　△OAB において，$\overrightarrow{\mathrm{OA}}=\vec{a}$，$\overrightarrow{\mathrm{OB}}=\vec{b}$ とする。

　(ア)　∠O を 2 等分するベクトルは，$k\left(\dfrac{\vec{a}}{|\vec{a}|}+\dfrac{\vec{b}}{|\vec{b}|}\right)$（$k$ は実数，$k \neq 0$）と表されることを示せ。

　(イ)　OA＝2，OB＝3，AB＝4 のとき，∠O の二等分線と ∠A の外角の二等分線の交点を P とする。このとき，$\overrightarrow{\mathrm{OP}}$ を $\vec{a}$，$\vec{b}$ で表せ。

練習 (基本) **28** (1) △ABC の 3 辺の長さを AB=8, BC=7, CA=9 とする。$\overrightarrow{AB}=\vec{b}$, $\overrightarrow{AC}=\vec{c}$ とし, △ABC の内心を P とするとき, $\overrightarrow{AP}$ を $\vec{b}$, $\vec{c}$ で表せ。

(2) △OAB において, $|\overrightarrow{OA}|=3$, $|\overrightarrow{OB}|=2$, $\overrightarrow{OA}\cdot\overrightarrow{OB}=4$ とする。点 A で直線 OA に接する円の中心 C が ∠AOB の二等分線 g 上にある。このとき, $\overrightarrow{OC}$ を $\overrightarrow{OA}=\vec{a}$, $\overrightarrow{OB}=\vec{b}$ で表せ。

重要 例題 29

△ABC において，AB＝4，AC＝5，BC＝6 とし，外心を O とする。$\overrightarrow{\text{AO}}$ を $\overrightarrow{\text{AB}}$，$\overrightarrow{\text{AC}}$ を用いて表せ。

練習 (重要) **29** △ABC において，AB=3，AC=4，BC=$\sqrt{13}$ とし，外心を O とする。$\overrightarrow{AO}$ を $\overrightarrow{AB}$，$\overrightarrow{AC}$ を用いて表せ。

基 本 例題 30

△ABC の重心を G とするとき，次の等式を証明せよ。

(1) $\overrightarrow{GA}+\overrightarrow{GB}+\overrightarrow{GC}=\vec{0}$

(2) $AB^2+AC^2=BG^2+CG^2+4AG^2$

練習 (基本) **30**　次の等式が成り立つことを証明せよ。

(1)　△ABC において，辺 BC の中点を M とするとき

$$AB^2+AC^2=2(AM^2+BM^2) \quad (中線定理)$$

(2) △ABC の重心を G，O を任意の点とするとき
$$AG^2 + BG^2 + CG^2 = OA^2 + OB^2 + OC^2 - 3OG^2$$

基本 例題 31

△ABC の重心を G，外接円の中心を O とするとき，次のことを示せ。

(1) $\overrightarrow{OA} + \overrightarrow{OB} + \overrightarrow{OC} = \overrightarrow{OH}$ である点 H をとると，H は △ABC の垂心である。

(2) (1) の点 H に対して，3 点 O，G，H は一直線上にあり　GH＝2OG

練習 (基本) **31** 右の図のように，△ABC の外側に

AP＝AB，AQ＝AC，∠PAB＝∠QAC＝90°

となるように，2点 P, Q をとる。

更に，四角形 AQRP が平行四辺形になるように点 R を
とると，AR⊥BC であることを証明せよ。

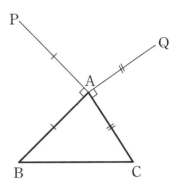

基本 例題 32

鋭角三角形 ABC の外心 O から直線 BC，CA，AB に下ろした垂線の足を，それぞれ P, Q, R とするとき，$\overrightarrow{\mathrm{OP}}+2\overrightarrow{\mathrm{OQ}}+3\overrightarrow{\mathrm{OR}}=\vec{0}$ が成立しているとする。

(1) $5\overrightarrow{\mathrm{OA}}+4\overrightarrow{\mathrm{OB}}+3\overrightarrow{\mathrm{OC}}=\vec{0}$ が成り立つことを示せ。

(2) 内積 $\overrightarrow{\mathrm{OB}}\cdot\overrightarrow{\mathrm{OC}}$ を求めよ。

(3) ∠A の大きさを求めよ。

練習 (基本) **32** 3 点 A, B, C が点 O を中心とする半径 1 の円周上にあり,
$13\overrightarrow{OA}+12\overrightarrow{OB}+5\overrightarrow{OC}=\vec{0}$ を満たす。∠AOB$=\alpha$, ∠AOC$=\beta$ とするとき
(1) $\overrightarrow{OB}\perp\overrightarrow{OC}$ であることを示せ。

(2) $\cos\alpha$ および $\cos\beta$ を求めよ。

重要 例題 33

△ABC が次の等式を満たすとき，△ABC はどのような形か。

(1) $\overrightarrow{AB} \cdot \overrightarrow{AC} = |\overrightarrow{AC}|^2$

(2) $\overrightarrow{AB} \cdot \overrightarrow{BC} = \overrightarrow{BC} \cdot \overrightarrow{CA} = \overrightarrow{CA} \cdot \overrightarrow{AB}$

練習 (重要) 33　次の等式を満たす △ABC は，どのような形の三角形か。

$$\overrightarrow{AB} \cdot \overrightarrow{AB} = \overrightarrow{AB} \cdot \overrightarrow{AC} + \overrightarrow{BA} \cdot \overrightarrow{BC} + \overrightarrow{CA} \cdot \overrightarrow{CB}$$

5. ベクトル方程式

基本 例題 34

(1) 3点 A$(\vec{a})$, B$(\vec{b})$, C$(\vec{c})$ を頂点とする △ABC がある。辺 AB を 2：3 に内分する点 M を通り，辺 AC に平行な直線のベクトル方程式を求めよ。

(2) （ア） 2点 $(-3,\ 2)$, $(2,\ -4)$ を通る直線の方程式を媒介変数 t を用いて表せ。

（イ） （ア）で求めた直線の方程式を，t を消去した形で表せ。

練習 (基本)**34** (1) △ABC において，A$(\vec{a})$, B$(\vec{b})$, C$(\vec{c})$ とする。M を辺 BC の中点とするとき，直線 AM のベクトル方程式を求めよ。

(2) 次の直線の方程式を求めよ。ただし，媒介変数 t で表された式，t を消去した式の両方を答えよ。

(ア) 点 A $(-4,\ 2)$ を通り，ベクトル $\vec{d}=(3,\ -1)$ に平行な直線

(イ) 2点 A $(-3,\ 5)$, B $(-2,\ 1)$ を通る直線

基本 例題 35

(1) 点 A $(3,\ -4)$ を通り，直線 $\ell : 2x-3y+6=0$ に平行な直線を g とする。直線 g の方程式を求めよ。

(2) 2直線 $2x+y-6=0$, $x+3y-5=0$ のなす鋭角を求めよ。

練習 (基本) **35** (1) 点 A $(-2,\ 1)$ を通り，直線 $3x-5y+4=0$ に平行な直線，垂直な直線の方程式をそれぞれ求めよ。

(2) 2 直線 $x-3y+5=0$，$2x+4y+3=0$ のなす鋭角を求めよ。

基本 例題 36

点 A $(4,\ 5)$ から直線 $\ell : x + 2y - 6 = 0$ に垂線を引き，ℓ との交点を H とする。

(1) 点 H の座標を，ベクトルを用いて求めよ。

(2) 線分 AH の長さを求めよ。

練習 (基本) **36** 点 A $(2,\ -3)$ から直線 $\ell : 3x - 2y + 4 = 0$ に下ろした垂線の足の座標を，ベクトルを用いて求めよ。また，点 A と直線 ℓ の距離を求めよ。

基本 例題 37

平行四辺形 ABCD において，辺 AB の中点を M，辺 BC を 1：2 に内分する点を E，辺 CD を 3：1 に内分する点を F とする。$\overrightarrow{AB}=\vec{b}$，$\overrightarrow{AD}=\vec{d}$ とするとき

(1) 線分 CM と FE の交点を P とするとき，$\overrightarrow{AP}$ を $\vec{b}$，$\vec{d}$ で表せ。

(2) 直線 AP と対角線 BD の交点を Q とするとき，$\overrightarrow{AQ}$ を $\vec{b}$，$\vec{d}$ で表せ。

練習 (基本) **37** 平行四辺形 ABCD において，辺 AB を $3:2$ に内分する点を E，辺 BC を $1:2$ に内分する点を F，辺 CD の中点を M とし，$\overrightarrow{AB}=\vec{b}$，$\overrightarrow{AD}=\vec{d}$ とする。

(1) 線分 CE と FM の交点を P とするとき，$\overrightarrow{AP}$ を $\vec{b}$，$\vec{d}$ で表せ。

(2) 直線 AP と対角線 BD の交点を Q とするとき，$\overrightarrow{AQ}$ を $\vec{b}$，$\vec{d}$ で表せ。

基本 例題 38

△OAB に対し，$\overrightarrow{\mathrm{OP}} = s\overrightarrow{\mathrm{OA}} + t\overrightarrow{\mathrm{OB}}$ とする。実数 s，t が次の条件を満たしながら動くとき，点 P の存在範囲を求めよ。

(1) $s + 2t = 3$

(2) $3s + t \leqq 1$，$s \geqq 0$，$t \geqq 0$

練習 (基本) **38** △OAB に対し，$\overrightarrow{\mathrm{OP}} = s\overrightarrow{\mathrm{OA}} + t\overrightarrow{\mathrm{OB}}$ とする。実数 s，t が次の条件を満たしながら動くとき，点 P の存在範囲を求めよ。

(1) $s + t = 3$

(2) $2s + 3t = 1$, $s \geqq 0$, $t \geqq 0$

(3) $2s + 3t \leqq 6$, $s \geqq 0$, $t \geqq 0$

基本 例題 39 □

△OAB に対し，$\overrightarrow{\mathrm{OP}}=s\overrightarrow{\mathrm{OA}}+t\overrightarrow{\mathrm{OB}}$ とする。実数 s，t が次の条件を満たしながら動くとき，点 P の存在範囲を求めよ。

(1) $1 \leqq s+t \leqq 2$，$s \geqq 0$，$t \geqq 0$

(2) $1 \leqq s \leqq 2$，$0 \leqq t \leqq 1$

練習 (基本) 39 △OAB に対し，$\overrightarrow{\mathrm{OP}}=s\overrightarrow{\mathrm{OA}}+t\overrightarrow{\mathrm{OB}}$ とする。実数 s，t が次の条件を満たしながら動くとき，点 P の存在範囲を求めよ。

(1) $1 \leqq s+2t \leqq 2$，$s \geqq 0$，$t \geqq 0$

(2) $-1 \leqq s \leqq 0, \ 0 \leqq 2t \leqq 1$

(3) $-1 < s + t < 2$

基本 例題 40

△OABにおいて，次の条件を満たす点Pの存在範囲を求めよ。

(1) $\overrightarrow{\text{OP}} = s\overrightarrow{\text{OA}} + t(\overrightarrow{\text{OA}} + \overrightarrow{\text{OB}})$, $0 \leqq s+t \leqq 1$, $s \geqq 0$, $t \geqq 0$

(2) $\overrightarrow{\text{OP}} = s\overrightarrow{\text{OA}} + (s+t)\overrightarrow{\text{OB}}$, $0 \leqq s \leqq 1$, $0 \leqq t \leqq 1$

練習 (基本) **40** △OABにおいて，次の条件を満たす点Pの存在範囲を求めよ。

(1) $\overrightarrow{\text{OP}} = (2s+t)\overrightarrow{\text{OA}} + t\overrightarrow{\text{OB}}$, $0 \leqq s+t \leqq 1$, $s \geqq 0$, $t \geqq 0$

(2)　$\overrightarrow{\mathrm{OP}}=(s-t)\overrightarrow{\mathrm{OA}}+(s+t)\overrightarrow{\mathrm{OB}}$,　$0\leqq s\leqq 1$,　$0\leqq t\leqq 1$

基 本 例題 41

平面上の $\triangle\mathrm{OAB}$ と任意の点 P に対し，次のベクトル方程式は円を表す。どのような円か。

(1)　$|3\overrightarrow{\mathrm{OA}}+2\overrightarrow{\mathrm{OB}}-5\overrightarrow{\mathrm{OP}}|=5$

(2)　$\overrightarrow{\mathrm{OP}}\cdot(\overrightarrow{\mathrm{OP}}-\overrightarrow{\mathrm{AB}})=\overrightarrow{\mathrm{OA}}\cdot\overrightarrow{\mathrm{OB}}$

練習 (基本) **41** 平面上の △ABC と任意の点 P に対し，次のベクトル方程式は円を表す。どのような
円か。

(1) $|\overrightarrow{BP}+\overrightarrow{CP}|=|\overrightarrow{AB}+\overrightarrow{AC}|$

(2) $2\overrightarrow{PA}\cdot\overrightarrow{PB}=3\overrightarrow{PA}\cdot\overrightarrow{PC}$

基本 例題 **42**   □

(1) 中心 $C(\vec{c})$，半径 r の円 C 上の点 $P_0(\vec{p_0})$ における円の接線のベクトル方程式は
$(\vec{p_0}-\vec{c})\cdot(\vec{p}-\vec{c})=r^2$ であることを示せ。

62

(2) 円 $x^2+y^2=r^2$ $(r>0)$ 上の点 (x_0, y_0) における接線の方程式は $x_0x+y_0y=r^2$ であることを，ベクトルを用いて証明せよ。

練習 (基本) **42** 円 $(x-a)^2+(y-b)^2=r^2$ $(r>0)$ 上の点 (x_0, y_0) における接線の方程式は $(x_0-a)(x-a)+(y_0-b)(y-b)=r^2$ であることを，ベクトルを用いて証明せよ。

重要 例題 43

座標平面において，△ABC は $\overrightarrow{\text{BA}} \cdot \overrightarrow{\text{CA}} = 0$ を満たしている。この平面上の点 P が条件 $\overrightarrow{\text{AP}} \cdot \overrightarrow{\text{BP}} + \overrightarrow{\text{BP}} \cdot \overrightarrow{\text{CP}} + \overrightarrow{\text{CP}} \cdot \overrightarrow{\text{AP}} = 0$ を満たすとき，P はどのような図形上の点であるか。

練習 (重要) **43** 平面上に，異なる2定点 O，A と，線分 OA を直径とする円 C を考える。円 C 上に点 O，A とは異なる点 B をとり，$\vec{a}=\overrightarrow{\mathrm{OA}}$，$\vec{b}=\overrightarrow{\mathrm{OB}}$ とする。

(1) △OAB の重心を G とする。位置ベクトル $\overrightarrow{\mathrm{OG}}$ を $\vec{a}$ と $\vec{b}$ で表せ。

(2) この平面上で，$\overrightarrow{\mathrm{OP}}\cdot\overrightarrow{\mathrm{AP}}+\overrightarrow{\mathrm{AP}}\cdot\overrightarrow{\mathrm{BP}}+\overrightarrow{\mathrm{BP}}\cdot\overrightarrow{\mathrm{OP}}=0$ を満たす点 P の全体からなる円の中心を D，半径を r とする。位置ベクトル $\overrightarrow{\mathrm{OD}}$ および r を，$\vec{a}$ と $\vec{b}$ を用いて表せ。

6. 空間の座標

基本 例題 44

解説動画

点 P$(6, 4, 8)$ に対して，次の点の座標を求めよ。

(1) 点 P から x 軸に下ろした垂線の足 A

(2) 点 P と yz 平面に関して対称な点 B

(3) 点 P と z 軸に関して対称な点 C

(4) 点 P と原点に関して対称な点 D

練習 (基本) **44** 点 P$(3, -2, 1)$ に対して，次の点の座標を求めよ。

(1) 点 P から x 軸に下ろした垂線と x 軸の交点 Q

(2) xy 平面に関して対称な点 R

(3) 原点 O に関して対称な点 S

基 本 例題 45

(1) 2点 A$(-1,\ 0,\ 1)$，B$(1,\ -1,\ 3)$ 間の距離を求めよ。

(2) 3点 A$(2,\ 3,\ 4)$, B$(4,\ 0,\ 3)$, C$(5,\ 3,\ 1)$ を頂点とする △ABC はどのような形か。

練習 (基本) **45** (1) 次の 2 点間の距離を求めよ。

(ア) O$(0,\ 0,\ 0)$, A$(2,\ 7,\ -4)$ (イ) A$(1,\ 2,\ 3)$, B$(2,\ 4,\ 5)$

(ウ) A$(3,\ -\sqrt{3},\ 2)$, B$(\sqrt{3},\ 1,\ -\sqrt{3})$

(2) 3点 A$(-1,\ 0,\ 1)$, B$(1,\ 1,\ 3)$, C$(0,\ 2,\ -1)$ を頂点とする △ABC はどのような形か。

(3) a は定数とする。3 点 A $(2,\ 2,\ 2)$，B $(3,\ -1,\ 6)$，C $(6,\ a,\ 5)$ を頂点とする三角形が正三角形であるとき，a の値を求めよ。

基本 例題 46

(1) 2 点 A $(-1,\ 2,\ -4)$，B $(5,\ -3,\ 1)$ から等距離にある x 軸上の点 P，y 軸上の点 Q の座標をそれぞれ求めよ。

(2) 原点 O と 3 点 A $(2,\ 2,\ 4)$，B $(-1,\ 1,\ 2)$，C $(4,\ 1,\ 1)$ から等距離にある点 M の座標を求めよ。

練習 (基本) **46** (1) 3点 A(2, 1, −2), B(−2, 0, 1), C(3, −1, −3) から等距離にある xy 平面上の点 P, zx 平面上の点 Q の座標をそれぞれ求めよ。

(2) 4点 O(0, 0, 0), A(0, 2, 0), B(−1, 1, 2), C(0, 1, 3) から等距離にある点 M の座標を求めよ。

7. 空間のベクトル，ベクトルの成分

基本 例題 47

平行六面体 ABCD-EFGH において，対角線 AG の中点を P とし，$\overrightarrow{AB}=\vec{a}$，$\overrightarrow{AD}=\vec{b}$，$\overrightarrow{AE}=\vec{c}$ とする。$\overrightarrow{AC}$, $\overrightarrow{AG}$, $\overrightarrow{BH}$, $\overrightarrow{CP}$ をそれぞれ $\vec{a}$, $\vec{b}$, $\vec{c}$ で表せ。

練習(基本) **47** 　四面体 ABCD において，$\overrightarrow{AB}=\vec{a}$，$\overrightarrow{AC}=\vec{b}$，$\overrightarrow{AD}=\vec{c}$ とし，辺 BC，AD の中点をそれぞれ L，M とする。

(1) 　$\overrightarrow{AL}$, $\overrightarrow{DL}$, $\overrightarrow{LM}$ をそれぞれ $\vec{a}$, $\vec{b}$, $\vec{c}$ で表せ。

(2) 　線分 AL の中点を N とすると，$\overrightarrow{DL}=2\overrightarrow{MN}$ であることを示せ。

基本 例題 48

$\vec{a}=(-2,\ 0,\ 1)$, $\vec{b}=(0,\ 2,\ 0)$, $\vec{c}=(2,\ 1,\ 1)$ とし，s, t, u は実数とする。

(1) $3\vec{a}+4\vec{b}-\vec{c}$ を成分で表せ。また，その大きさを求めよ。

(2) $s\vec{a}+t\vec{b}+u\vec{c}=\vec{0}$ ならば $s=t=u=0$ であることを示せ。

(3) $\vec{p}=(2,\ -7,\ 5)$ を $s\vec{a}+t\vec{b}+u\vec{c}$ の形に表せ。

練習 (基本) 48 $\vec{a}=(1,\ 0,\ 1)$, $\vec{b}=(2,\ -1,\ -2)$, $\vec{c}=(-1,\ 2,\ 0)$ とし，s, t, u は実数とする。

(1) $2\vec{a}-3\vec{b}+\vec{c}$ を成分で表せ。また，その大きさを求めよ。

(2) $\vec{d}=(6,\ -5,\ 0)$ を $s\vec{a}+t\vec{b}+u\vec{c}$ の形に表せ。

(3) $l,\ m,\ n$ は実数とする。$\vec{d}=(l,\ m,\ n)$ を $s\vec{a}+t\vec{b}+u\vec{c}$ の形に表すとき，$s,\ t,\ u$ をそれぞれ $l,\ m,\ n$ で表せ。

基 本 例題 49　　　　　　　　　　　　　　　　　　　　　　□

4 点 A$(1,\ 0,\ -3)$，B$(-1,\ 2,\ 2)$，D$(2,\ 3,\ -1)$，E$(6,\ a,\ b)$ がある。

(1)　AB∥DE であるとき，$a,\ b$ の値を求めよ。また，このとき　AB：DE＝[　　]

(2)　四角形 ABCD が平行四辺形であるとき，点 C の座標を求めよ。

練習 (基本) **49** (1) $\vec{a}=(2,\ -3x,\ 8)$, $\vec{b}=(3x,\ -6,\ 4y-2)$ とする。$\vec{a}$ と $\vec{b}$ が平行であるとき，x, y の値を求めよ。

(2) 4点 A (3, 3, 2), B (0, 4, 0), C, D (5, 1, −2) がある。四角形 ABCD が平行四辺形であるとき，点 C の座標を求めよ。

基本 例題 50

平行四辺形の 3 頂点が A $(1, 1, -2)$, B $(-2, 1, 2)$, C $(3, -1, -3)$ であるとき, 第 4 の頂点 D の座標を求めよ。

練習 (基本) **50** 平行四辺形の 3 頂点が A $(1, 0, -1)$, B $(2, -1, 1)$, C $(-1, 3, 2)$ であるとき, 第 4 の頂点 D の座標を求めよ。

基本 例題 51   □ ▷解説動画

(1) $\vec{a}=(2,\ 1,\ 1)$, $\vec{b}=(1,\ 2,\ -1)$ とする。ベクトル $\vec{a}+t\vec{b}$ の大きさが最小になるときの実数 t の
　　値と，そのときの大きさを求めよ。

(2) 定点 A $(2,\ 0,\ 3)$, B $(1,\ 2,\ 1)$ と，xy 平面上を動く点 P に対し，AP＋PB の最小値を求めよ。

練習 (基本) **51**　(1)　原点 O と 2 点 A $(-1,\ 2,\ -3)$，B $(-3,\ 2,\ 1)$ に対して，$\vec{p}=(1-t)\overrightarrow{\mathrm{OA}}+t\overrightarrow{\mathrm{OB}}$ とする。$|\vec{p}|$ の最小値とそのときの実数 t の値を求めよ。

(2)　定点 A $(-1,\ -2,\ 1)$，B $(5,\ -1,\ 3)$ と，zx 平面上の動点 P に対し，AP+PB の最小値を求めよ。

基本 例題 52

座標空間に原点 O と点 A$(1,\ -2,\ 3)$，B$(2,\ 0,\ 4)$，C$(3,\ -1,\ 5)$ がある。このとき，ベクトル $\overrightarrow{\mathrm{OA}}+x\overrightarrow{\mathrm{AB}}+y\overrightarrow{\mathrm{AC}}$ の大きさの最小値と，そのときの実数 x，y の値を求めよ。

練習 (基本) **52** $\vec{a}=(1,\ -1,\ 1),\ \vec{b}=(1,\ 0,\ 1),\ \vec{c}=(2,\ 1,\ 0)$ とする。このとき，$|\vec{a}+x\vec{b}+y\vec{c}|$ は実数の組 $(x,\ y)=$ $^{\text{ア}}\boxed{}$ に対して，最小値 $^{\text{イ}}\boxed{}$ をとる。

8. 空間のベクトルの内積

基 本 例題 53

1辺の長さが1の正四面体 OABC において，$\overrightarrow{OA}=\vec{a}$，$\overrightarrow{OB}=\vec{b}$，$\overrightarrow{OC}=\vec{c}$ とする。

(1) 内積 $\vec{a}\cdot\vec{b}$ を求めよ。

(2) 辺 BC 上に BD$=\dfrac{1}{3}$ となるように点 D をとる。このとき，内積 $\overrightarrow{OA}\cdot\overrightarrow{OD}$ を求めよ。

練習 (基本) **53**　どの辺の長さも 1 である正四角錐 OABCD において，$\overrightarrow{OA}=\vec{a}$，$\overrightarrow{OB}=\vec{b}$，$\overrightarrow{OC}=\vec{c}$ とする。辺 OA の中点を M とするとき

(1) $\overrightarrow{MB}$, $\overrightarrow{MC}$ をそれぞれ $\vec{a}$, $\vec{b}$, $\vec{c}$ で表せ。

(2) 内積 $\vec{b}\cdot\vec{c}$, $\overrightarrow{MB}\cdot\overrightarrow{MC}$ をそれぞれ求めよ。

基本 例題 54

(1) $\vec{a}=(0,\ 0,\ 2)$, $\vec{b}=(1,\ \sqrt{2},\ 3)$ の内積とそのなす角 θ を求めよ。

(2) A$(-2,\ 1,\ 3)$, B$(-3,\ 1,\ 4)$, C$(-3,\ 3,\ 5)$ とする。

  (ア) 2つのベクトル $\overrightarrow{\mathrm{AB}}$, $\overrightarrow{\mathrm{AC}}$ のなす角を求めよ。

  (イ) 3点 A, B, C で定まる △ABC の面積 S を求めよ。

練習 (基本) **54** (1) 次の2つのベクトル $\vec{a}$, $\vec{b}$ の内積とそのなす角 θ を, それぞれ求めよ。

  (ア) $\vec{a}=(-2,\ 1,\ 2)$, $\vec{b}=(-1,\ 1,\ 0)$

  (イ) $\vec{a}=(1,\ -1,\ 1)$, $\vec{b}=(1,\ \sqrt{6},\ -1)$

(2) 3点 A (1, 0, 0), B (0, 3, 0), C (0, 0, 2) で定まる △ABC の面積 S を求めよ。

基本 例題 55

2つのベクトル $\vec{a} = (2,\ 1,\ 3)$ と $\vec{b} = (1,\ -1,\ 0)$ の両方に垂直な単位ベクトルを求めよ。

練習 (基本) **55** 4点 A (4, 1, 3), B (3, 0, 2), C (−3, 0, 14), D (7, −5, −6) について, $\overrightarrow{AB}$, $\overrightarrow{CD}$ のいずれにも垂直な大きさ $\sqrt{6}$ のベクトルを求めよ。

基本 例題 56

(1) 四面体 OABC において，ベクトル $\overrightarrow{\mathrm{OA}}$ と $\overrightarrow{\mathrm{BC}}$ が垂直ならば

$$|\overrightarrow{\mathrm{AB}}|^2+|\overrightarrow{\mathrm{OC}}|^2=|\overrightarrow{\mathrm{AC}}|^2+|\overrightarrow{\mathrm{OB}}|^2$$

であることを証明せよ。

(2) $\vec{a}=(3,\ -4,\ 12),\ \vec{b}=(-3,\ 0,\ 4),\ \vec{c}=\vec{a}+t\vec{b}$ について，$\vec{c}$ と $\vec{a}$，$\vec{c}$ と $\vec{b}$ のなす角が等しくなるような実数 t の値を求めよ。

練習 (基本) **56** (1) 四面体 OABC において，$|\overrightarrow{\mathrm{OA}}|=|\overrightarrow{\mathrm{OB}}|$，$\overrightarrow{\mathrm{OC}}\perp\overrightarrow{\mathrm{AB}}$ とする。このとき，$|\overrightarrow{\mathrm{AC}}|=|\overrightarrow{\mathrm{BC}}|$ であることを証明せよ。

(2) 3点 A$(2, 3, 1)$, B$(1, 5, -2)$, C$(4, 4, 0)$ がある。$\overrightarrow{\mathrm{AB}}=\vec{b}$, $\overrightarrow{\mathrm{AC}}=\vec{c}$ のとき, $\vec{b}+t\vec{c}$ と $\vec{c}$ のなす角が $60°$ となるような t の値を求めよ。

重 要 例題 57　　　　　　　　　　　　　　　　　　　　　　□

空間において, 大きさが 4 で, x 軸の正の向きとなす角が $60°$, z 軸の正の向きとなす角が $45°$ であるようなベクトル $\vec{p}$ を求めよ。また, $\vec{p}$ が y 軸の正の向きとなす角 θ を求めよ。

練習 (重要) **57** (1) 空間において，x 軸と直交し，z 軸の正の向きとのなす角が $45°$ であり，y 成分が正である単位ベクトル $\vec{t}$ を求めよ。

(2) (1) の空間内に点 A $(1,\ 2,\ 3)$ がある。O を原点とし，$\vec{t}=\overrightarrow{\mathrm{OT}}$ となるように点 T を定め，直線 OT 上に O と異なる点 P をとる。$\overrightarrow{\mathrm{OP}}\perp\overrightarrow{\mathrm{AP}}$ であるとき，点 P の座標を求めよ。

重要 例題 58

空間の2つのベクトル $\vec{a}=\overrightarrow{OA}\neq\vec{0}$ と $\vec{b}=\overrightarrow{OB}\neq\vec{0}$ が垂直であるとする。$\vec{p}=\overrightarrow{OP}$ に対して,

$\vec{q}=\overrightarrow{OQ}=\dfrac{\vec{p}\cdot\vec{a}}{\vec{a}\cdot\vec{a}}\vec{a}+\dfrac{\vec{p}\cdot\vec{b}}{\vec{b}\cdot\vec{b}}\vec{b}$ のとき,次のことを示せ。

(1) $(\vec{p}-\vec{q})\cdot\vec{a}=0$, $(\vec{p}-\vec{q})\cdot\vec{b}=0$

(2) $|\vec{q}|\leqq|\vec{p}|$

練習 (重要) 58 $\vec{a}$, $\vec{b}$ を零ベクトルでない空間ベクトル,s, t を負でない実数とし,$\vec{c}=s\vec{a}+t\vec{b}$ とおく。このとき,次のことを示せ。

(1) $s(\vec{c}\cdot\vec{a})+t(\vec{c}\cdot\vec{b})\geqq0$

(2) $\vec{c}\cdot\vec{a}\geqq0$ または $\vec{c}\cdot\vec{b}\geqq0$

(3) $|\vec{c}|\geqq|\vec{a}|$ かつ $|\vec{c}|\geqq|\vec{b}|$ ならば $s+t\geqq1$

9. 位置ベクトル，ベクトルと図形

基本 例題 59

□ ▷解説動画

四面体 OABC がある。線分 AB を 2:3 に内分する点を P，線分 OP を 10:1 に外分する点を Q とし，△QBC の重心を G とするとき，$\overrightarrow{OG}$ を $\overrightarrow{OA}=\vec{a}$，$\overrightarrow{OB}=\vec{b}$，$\overrightarrow{OC}=\vec{c}$ で表せ。

練習 (基本) **59** 1辺の長さが1の正四面体 OABC を考える。辺 OA，OB の中点をそれぞれ P，Q とし，辺 OC を 2:3 に内分する点を R とする。また，△PQR の重心を G とする。

(1) $\overrightarrow{OA}=\vec{a}$，$\overrightarrow{OB}=\vec{b}$，$\overrightarrow{OC}=\vec{c}$ とするとき，$\overrightarrow{OG}$ を $\vec{a}$，$\vec{b}$，$\vec{c}$ を用いて表せ。

(2) $\overrightarrow{OG}$ の大きさ $|\overrightarrow{OG}|$ を求めよ。

86

基本 例題 60

四面体 ABCD において，△BCD，△ACD， △ABD，△ABC の重心をそれぞれ G_A，G_B，G_C，G_D とする。線分 AG_A，BG_B，CG_C，DG_D をそれぞれ $3:1$ に内分する点は一致することを示せ。

練習 (基本) **60** 四面体 ABCD の重心を G とするとき，次のことを示せ。

(1) 四面体 ABCD の辺 AB，BC，CD，DA，AC，BD の中点をそれぞれ P，Q，R，S，T，U とすると， 3 つの線分 PR，QS，TU の中点は 1 点 G で交わる。

(2) △BCD, △ACD, △ABD, △ABC の重心をそれぞれ G_A, G_B, G_C, G_D とすると, 四面体 $G_A G_B G_C G_D$ の重心は点 G と一致する。

基本 例題 61

四面体 ABCD と点 P について, $\overrightarrow{AP}+3\overrightarrow{BP}+2\overrightarrow{CP}+6\overrightarrow{DP}=\vec{0}$ が成り立つ。

(1) 点 P はどのような位置にあるか。

(2) 四面体 ABCD と四面体 PBCD の体積をそれぞれ V_1, V_2 とするとき, $V_1 : V_2$ を求めよ。

練習 (基本) **61**　四面体 ABCD に関し，次の等式を満たす点 P はどのような位置にある点か。

$$\overrightarrow{AP}+2\overrightarrow{BP}-7\overrightarrow{CP}-3\overrightarrow{DP}=\vec{0}$$

□ 重 □ 要 **例題 62**　　　　　　　　　　　　　　　　　　　　　□

1 辺の長さが a の正四面体 ABCD において，$\overrightarrow{AB}=\vec{b}$，$\overrightarrow{AC}=\vec{c}$，$\overrightarrow{AD}=\vec{d}$ とする。辺 AB，CD の中点をそれぞれ M，N とし，線分 MN の中点を G，$\angle AGB=\theta$ とする。

(1)　$\overrightarrow{AN}$，$\overrightarrow{AG}$，$\overrightarrow{BG}$ をそれぞれ $\vec{b}$，$\vec{c}$，$\vec{d}$ で表せ。

(2)　$\left|\overrightarrow{GA}\right|^2$，$\overrightarrow{GA}\cdot\overrightarrow{GB}$ をそれぞれ a を用いて表せ。

(3) $\cos\theta$ の値を求めよ。

練習 (重要) **62** 1辺の長さが1の立方体 ABCD – A′B′C′D′において，辺 AB，CC′，D′A′ を $a:(1-a)$ に内分する点をそれぞれ P，Q，R とし，$\overrightarrow{AB}=\vec{x}$，$\overrightarrow{AD}=\vec{y}$，$\overrightarrow{AA'}=\vec{z}$ とする。ただし，$0<a<1$ とする。

(1) $\overrightarrow{PQ}$，$\overrightarrow{PR}$ をそれぞれ $\vec{x}$，$\vec{y}$，$\vec{z}$ を用いて表せ。

(2) $|\overrightarrow{PQ}|:|\overrightarrow{PR}|$ を求めよ。

(3) $\overrightarrow{PQ}$ と $\overrightarrow{PR}$ のなす角を求めよ。

90

基 本 例題 63

解説動画

(1) 四面体 OABC がある。$0<t<1$ を満たす t に対し，辺 OB，OC，AB，AC を $t:(1-t)$ に内分する点をそれぞれ K，L，M，N とする。このとき，四角形 KLNM は平行四辺形であることを示せ。

(2) 座標空間において，3 点 $(-1,\ 10,\ -3)$，$\left(2,\ \boxed{},\ 3\right)$，$\left(3,\ 6,\ \boxed{}\right)$ は一直線上にある。

練習 (基本) **63** (1) 四面体 ABCD において，△ABC の重心を E，△ABD の重心を F とするとき，EF∥CD であることを証明せよ。

(2) 3点 A$(-1, -1, -1)$，B$(1, 2, 3)$，C$(x, y, 1)$ が一直線上にあるとき，x, y の値を求めよ。

基本 例題 64

平行六面体 ABCD – EFGH において，辺 AB，AD を 2：1 に内分する点をそれぞれ P，Q とし，平行四辺形 EFGH の対角線 EG を 1：2 に内分する点を R とするとき，平行六面体の対角線 AG は △PQR の重心 K を通ることを証明せよ。

練習 (基本) **64**　平行六面体 ABCD – EFGH で △BDE，△CHF の重心をそれぞれ P，Q とするとき，4 点 A，P，Q，G は一直線上にあることを証明せよ。

基本 例題 65

2 点 A$(-3,\ -1,\ 1)$，B$(-1,\ 0,\ 0)$ を通る直線を ℓ とする。

(1) 点 C$(2,\ 3,\ 3)$ から直線 ℓ に下ろした垂線の足 H の座標を求めよ。

(2) 直線 ℓ に関して，点 C と対称な点 D の座標を求めよ。

練習 (基本) **65**　2 点 A$(1,\ 3,\ 0)$，B$(0,\ 4,\ -1)$ を通る直線を ℓ とする。

(1) 点 C$(1,\ 5,\ -4)$ から直線 ℓ に下ろした垂線の足 H の座標を求めよ。

(2) 直線 ℓ に関して，点 C と対称な点 D の座標を求めよ。

基本 例題 66

四面体 OABC の辺 OA の中点を P，辺 BC を 2：1 に内分する点を Q，辺 OC を 1：3 に内分する点を R，辺 AB を 1：6 に内分する点を S とする。$\overrightarrow{\mathrm{OA}}=\vec{a}$，$\overrightarrow{\mathrm{OB}}=\vec{b}$，$\overrightarrow{\mathrm{OC}}=\vec{c}$ とするとき

(1) $\overrightarrow{\mathrm{OQ}}$，$\overrightarrow{\mathrm{OS}}$ をそれぞれ $\vec{a}$，$\vec{b}$，$\vec{c}$ で表せ。

(2) 直線 PQ と直線 RS が交わるとき，その交点を T とする。このとき，$\overrightarrow{\mathrm{OT}}$ を $\vec{a}$，$\vec{b}$，$\vec{c}$ で表せ。

練習 (基本) **66** 四面体 OABC において，辺 AB を 1 : 3 に内分する点を L，辺 OC を 3 : 1 に内分する点を M，線分 CL を 3 : 2 に内分する点を N，線分 LM，ON の交点を P とし，$\overrightarrow{\mathrm{OA}} = \vec{a}$，$\overrightarrow{\mathrm{OB}} = \vec{b}$，$\overrightarrow{\mathrm{OC}} = \vec{c}$ とするとき，$\overrightarrow{\mathrm{ON}}$，$\overrightarrow{\mathrm{OP}}$ をそれぞれ $\vec{a}$，$\vec{b}$，$\vec{c}$ で表せ。

基本 例題 67

次の 4 点が同じ平面上にあるように，x の値を定めよ。

$$A(1, 1, 0),\ B(3, 4, 5),\ C(1, 3, 6),\ P(4, 5, x)$$

練習 (基本) 67　4 点 $A(0, 0, 2),\ B(2, -2, 3),\ C(a, -1, 4),\ D(1, a, 1)$ が同じ平面上にあるように，定数 a の値を定めよ。

基本 例題 68

四面体 OABC の辺 OA，AB，BC を 1：2 に内分する点をそれぞれ P，Q，R とし，辺 OC を 1：8 に内分する点を S とする。このとき，4 点 P，Q，R，S は同じ平面上にあることを示せ。

練習 (基本) **68** 平行六面体 ABCD−EFGH において，辺 BF を $2:1$ に内分する点を P，辺 FG を $2:1$ に内分する点を Q，辺 DH の中点を R とする。4 点 A，P，Q，R は同じ平面上にあることを示せ。

基 本 例題 69

四面体 OABC を考える。辺 OA の中点を P とする。また辺 OB を 2:1 に内分する点を Q として，辺 OC を 3:1 に内分する点を R とする。更に三角形 ABC の重心を G とする。3 点 P，Q，R を通る平面と直線 OG の交点を K とするとき，$\overrightarrow{\mathrm{OK}}$ を $\overrightarrow{\mathrm{OA}}$，$\overrightarrow{\mathrm{OB}}$，$\overrightarrow{\mathrm{OC}}$ を用いて表せ。

練習 (基本) **69**　四面体 OABC において，$\vec{a}=\overrightarrow{\mathrm{OA}}$, $\vec{b}=\overrightarrow{\mathrm{OB}}$, $\vec{c}=\overrightarrow{\mathrm{OC}}$ とする。

(1)　線分 AB を $1:2$ に内分する点を P とし，線分 PC を $2:3$ に内分する点を Q とする。$\overrightarrow{\mathrm{OQ}}$ を $\vec{a}$, $\vec{b}$, $\vec{c}$ を用いて表せ。

(2)　D，E，F はそれぞれ線分 OA，OB，OC 上の点で，$\mathrm{OD}=\dfrac{1}{2}\mathrm{OA}$，$\mathrm{OE}=\dfrac{2}{3}\mathrm{OB}$，$\mathrm{OF}=\dfrac{1}{3}\mathrm{OC}$ とする。3 点 D，E，F を含む平面と直線 OQ の交点を R とするとき，$\overrightarrow{\mathrm{OR}}$ を $\vec{a}$, $\vec{b}$, $\vec{c}$ を用いて表せ。

基本 例題 70　　　　　　　　　　　　　　　　　　　　　□

四面体 OABC において，P を辺 OA の中点，Q を辺 OB を $2:1$ に内分する点，R を辺 BC の中点とする。P，Q，R を通る平面と辺 AC の交点を S とする。$\overrightarrow{OA}=\vec{a}$，$\overrightarrow{OB}=\vec{b}$，$\overrightarrow{OC}=\vec{c}$ とおく。

(1)　$\overrightarrow{PQ}$，$\overrightarrow{PR}$ をそれぞれ $\vec{a}$，$\vec{b}$，$\vec{c}$ を用いて表せ。

(2)　比 $|\overrightarrow{AS}|:|\overrightarrow{SC}|$ を求めよ。

練習 (基本) **70**　四面体 OABC において，線分 OA を $2:1$ に内分する点を P，線分 OB を $3:1$ に内分する点を Q，線分 BC を $4:1$ に内分する点を R とする。この四面体を 3 点 P，Q，R を通る平面で切り，この平面が線分 AC と交わる点を S とするとき，線分の長さの比 AS : SC を求めよ。

基 本 例題 71

四面体 OABC において，OA＝AB，BC＝OC，OA⊥BC とするとき，次のことを証明せよ。

(1) OB⊥AC

(2) $OA^2 + BC^2 = OB^2 + AC^2$

練習 (基本) **71** 四面体 ABCD を考える。△ABC と △ABD は正三角形であり，AC と BD とは垂直である。

(1) BC と AD も垂直であることを示せ。

(2) 四面体 ABCD は正四面体であることを示せ。

基本 例題 72

3点 A$(1, 0, 0)$, B$(0, 2, 0)$, C$(0, 0, 3)$ を通る平面を α とし，原点 O から平面 α に下ろした垂線の足を H とする。

(1) 点 H の座標を求めよ。

(2) △ABC の面積 S を求めよ。

練習 (基本) **72** 原点を O とし，3 点 A (2, 0, 0)，B (0, 4, 0)，C (0, 0, 3) をとる。原点 O から 3 点 A，B，C を含む平面に下ろした垂線の足を H とするとき
(1) 点 H の座標を求めよ。

(2) △ABC の面積を求めよ。

重要 例題 73

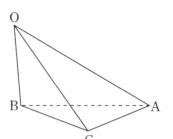

四面体 OABC の 4 つの面はすべて合同で，OA $=\sqrt{10}$，OB $=2$，OC $=3$ であるとする。このとき，$\overrightarrow{AB}\cdot\overrightarrow{AC}=$ ⁼□ であり，三角形 ABC の面積は ⁱ□ である。また，3 点 A，B，C を通る平面を α とし，点 O から平面 α に垂線 OH を下ろすと，$\overrightarrow{AH}$ は $\overrightarrow{AB}$ と $\overrightarrow{AC}$ を用いて $\overrightarrow{AH}=$ ⁿ□ と表される。

練習(重要)**73** 各辺の長さが1の正四面体 PABC において，点 A から 平面 PBC に下ろした垂線の足を H とし，$\overrightarrow{PA}=\vec{a}$，$\overrightarrow{PB}=\vec{b}$，$\overrightarrow{PC}=\vec{c}$ とする。

(1) 内積 $\vec{a}\cdot\vec{b}$，$\vec{a}\cdot\vec{c}$，$\vec{b}\cdot\vec{c}$ を求めよ。

(2) $\overrightarrow{PH}$ を $\vec{b}$ と $\vec{c}$ を用いて表せ。

(3) 正四面体 PABC の体積を求めよ。

10. 座標空間の図形

基本 例題 74 ☐ ▶解説動画

(1) A$(-1, 2, 3)$, B$(2, -1, 6)$ のとき，線分 AB を $1:2$ に内分する点 P，外分する点 Q の座標をそれぞれ求めよ。

(2) 3点 A$(-1, 4, a)$, B$(-2, b, -3)$, C$(-4, 2, -1)$ があり，B は線分 AC 上にあるとき，a, b の値を求めよ。

練習 (基本) **74** (1) 3点 A$(3, 7, 0)$, B$(-3, 1, 3)$, G$(-7, -4, 6)$ について

(ア) 線分 AB を $2:1$ に内分する点 P の座標を求めよ。

(イ) 線分 AB を $2:3$ に外分する点 Q の座標を求めよ。

(ウ) △PQR の重心が点 G となるような点 R の座標を求めよ。

(2) 点 A$(0, 1, 2)$ と点 B$(-1, 1, 6)$ を結ぶ線分 AB 上に点 C$(a, b, 3)$ がある。このとき，a, b の値を求めよ。

基本 例題 75

(1) 点 A$(2, -1, 3)$ を通る，次のような平面の方程式を，それぞれ求めよ。

　(ア) x 軸に垂直　　　　　(イ) y 軸に垂直　　　　　(ウ) z 軸に垂直

(2) 点 B$(1, 3, -2)$ を通る，次のような平面の方程式を，それぞれ求めよ。

　(ア) xy 平面に平行　　　　(イ) yz 平面に平行　　　　(ウ) zx 平面に平行

練習 (基本)**75**　(1)　A$(-1, 2, 3)$ を通り，x 軸に垂直な平面の方程式を求めよ。

(2)　B$(3, -2, 4)$ を通り，y 軸に垂直な平面の方程式を求めよ。

(3)　C$(0, 2, -3)$ を通り，xy 平面に平行な平面の方程式を求めよ。

基本 例題 76

次の条件を満たす球面の方程式を求めよ。

(1) 2点 A $(1, 2, 4)$, B $(-5, 8, -2)$ を直径の両端とする。

(2) 点 $(5, 1, 4)$ を通り，3つの座標平面に接する。

練習 (基本) **76** 次の条件を満たす球面の方程式を求めよ。

(1) 直径の両端が 2 点 $(1, -4, 3)$, $(3, 0, 1)$ である。

(2) 点 $(1, -2, 5)$ を通り，3 つの座標平面に接する。

基本 例題 77

4 点 $(0, 0, 0)$, $(6, 0, 0)$, $(0, 4, 0)$, $(0, 0, -8)$ を通る球面の方程式を求めよ。また，その中心の座標と半径を求めよ。

練習 (基本) **77**　4 点 $(1, 1, 1)$, $(-1, 1, -1)$, $(-1, -1, 0)$, $(2, 1, 0)$ を通る球面の方程式を求めよ。また，その中心の座標と半径を求めよ。

基本 例題 78

□ ▷ 解説動画

中心が点 $(1,\ -3,\ 2)$ で,原点を通る球面を S とする。

(1) S と yz 平面の交わりは円になる。この円の中心と半径を求めよ。

(2) S と平面 $z=k$ の交わりが半径 $\sqrt{5}$ の円になるという。k の値を求めよ。

練習 (基本) **78** (1) 球面 $x^2+y^2+z^2-4x-6y+2z+5=0$ と xy 平面の交わりは,中心が点 ア [   ],半径が イ [   ] の円である。

(2) 中心が点 $(-2,\ 4,\ -2)$ で,2 つの座標平面に接する球面 S の方程式は ウ [   ] である。また,S と平面 $x=k$ の交わりが半径 $\sqrt{3}$ の円であるとき,$k=$ エ [   ] である。

重要 **例題 79**

空間において，点 A $(0,\ 6,\ 0)$ を中心とする半径 3 の球面上を動く点 Q を考える。更に，原点を O，線分 OQ の中点を P とし，点 A, Q, P の位置ベクトルをそれぞれ $\vec{a},\ \vec{q},\ \vec{p}$ とする。このとき，点 P が満たすベクトル方程式を求めよ。また，点 P $(x,\ y,\ z)$ が描く図形の方程式を $x,\ y,\ z$ を用いて表せ。

練習 (重要) **79**　点 O を原点とする座標空間において，A $(5,\ 4,\ -2)$ とする。

$|\overrightarrow{\mathrm{OP}}|^2 - 2\overrightarrow{\mathrm{OA}} \cdot \overrightarrow{\mathrm{OP}} + 36 = 0$ を満たす点 P $(x,\ y,\ z)$ の集合はどのような図形を表すか。また，その方程式を $x,\ y,\ z$ を用いて表せ。

11. 発展 平面の方程式, 直線の方程式

演 習 例題 80

□ ▷ 解説動画

3点 A$(0,\ 1,\ 1)$, B$(6,\ -1,\ -1)$, C$(-3,\ -1,\ 1)$ を通る平面の方程式を求めよ。

練習 (演習) **80**　次の3点を通る平面の方程式を求めよ。

(1)　A$(1,\ 0,\ 2)$, B$(0,\ 1,\ 0)$, C$(2,\ 1,\ -3)$

(2)　A$(2,\ 0,\ 0)$, B$(0,\ 3,\ 0)$, C$(0,\ 0,\ 1)$

演 習 例題 81

座標空間に 4 点 A $(2, 1, 0)$, B $(1, 0, 1)$, C $(0, 1, 2)$, D $(1, 3, 7)$ がある。3 点 A, B, C を通る平面に関して点 D と対称な点を E とするとき, 点 E の座標を求めよ。

練習 ⑭⑧ **81** O を原点とする座標空間に，4 点 A $(4, 0, 0)$，B $(0, 8, 0)$，C $(0, 0, 4)$，D $(0, 0, 2)$ がある。

⑴ △ABC の重心 G の座標を求めよ。

⑵ 直線 OG と平面 ABD との交点 P の座標を求めよ。

演習 例題 82

2平面 $\alpha : x - 2y + z = 7$, $\beta : x + y - 2z = 14$ について

(1) 2平面 α, β のなす角 θ を求めよ。ただし、$0° \leqq \theta \leqq 90°$ とする。

(2) 点 A$(3, -4, 2)$ を通り、2平面 α, β のどちらにも垂直である平面 γ の方程式を求めよ。

練習(演習)**82** (1) 平面 α, β が次のようなとき、2平面 α, β のなす角 θ を求めよ。ただし、$0° \leqq \theta \leqq 90°$ とする。

(ア) $\alpha : 4x - 3y + z = 2$, $\beta : x + 3y + 5z = 0$

(イ) $\alpha : -2x + y + 2z = 3$, $\beta : x - y = 5$

(2) (1)(イ)の2平面 α, β のどちらにも垂直で，点 $(4,\ 2,\ -1)$ を通る平面 γ の方程式を求めよ。

演習 例題 83

□ 解説動画

(1) 次の直線のベクトル方程式を求めよ。

 (ア) 点 A $(1,\ 2,\ 3)$ を通り，$\vec{d}=(2,\ 3,\ -4)$ に平行。

 (イ) 2点 A $(2,\ -1,\ 1)$，B $(-1,\ 3,\ 1)$ を通る。

(2) 点 $(1,\ 2,\ -3)$ を通り，ベクトル $\vec{d}=(3,\ -1,\ 2)$ に平行な直線の方程式を求めよ。

(3) 点 A $(-3,\ 5,\ 2)$ を通り，$\vec{d}=(0,\ 0,\ 1)$ に平行な直線の方程式を求めよ。

練習 (演習) **83** (1) 次の直線のベクトル方程式を求めよ。

(ア) 点 A $(2,\ -1,\ 3)$ を通り，$\vec{d}=(5,\ 2,\ -2)$ に平行。

(イ) 2 点 A $(1,\ 2,\ 1)$，B $(-1,\ 2,\ 4)$ を通る。

(2) 点 $(4,\ -3,\ 1)$ を通り，$\vec{d}=(3,\ 7,\ -2)$ に平行な直線の方程式を求めよ。

(3) 点 A $(3,\ -1,\ 1)$ を通り，y 軸に平行な直線の方程式を求めよ。

演 習 **例題 84**   □

2 点 A $(1,\ 3,\ 0)$，B $(0,\ 4,\ -1)$ を通る直線を ℓ とし，点 C $(-1,\ 3,\ 2)$ を通り，$\vec{d}=(-1,\ 2,\ 0)$ に平行な直線を m とする。ℓ 上に点 P，m 上に点 Q をとる。距離 PQ の最小値と，そのときの 2 点 P，Q の座標を求めよ。

練習 (演習) **84** 2点 A$(1, 1, -1)$, B$(0, 2, 1)$ を通る直線を ℓ, 2点 C$(2, 1, 1)$, D$(3, 0, 2)$ を通る直線を m とし, ℓ 上に点 P, m 上に点 Q をとる。距離 PQ の最小値と, そのときの 2 点 P, Q の座標を求めよ。

演習 例題 85

(1) 点 $(2,\ 4,\ -1)$ を通り，ベクトル $(3,\ -1,\ 2)$ に平行な直線 ℓ と，平面 $\alpha : 2x+3y-z=16$ との交点の座標を求めよ。

(2) $k>0$ とする。点 $(-3,\ -1,\ 0)$ を通り，ベクトル $(1,\ 1,\ k)$ に平行な直線 m が，点 $(0,\ 2,\ 3)$ を中心とする半径 3 の球面に接するように，定数 k の値を定め，接点の座標を求めよ。

練習 (演習) **85** (1) 点 $(1,\ 1,\ -4)$ を通り，ベクトル $(2,\ 1,\ 3)$ に平行な直線 ℓ と，
平面 $\alpha : x + y + 2z = 3$ との交点の座標を求めよ。

(2) 2点 $A(1,\ 0,\ 0)$, $B(-1,\ b,\ b)$ に対し，直線 AB が球面 $x^2 + (y-1)^2 + z^2 = 1$ と共有点をもつような定数 b の値の範囲を求めよ。

演 習 例題 86

(1) 球面 $x^2+y^2+z^2+2x-4y+4z=16$ の平面 $\alpha : 6x-2y+3z=5$ による切り口である円 を C とする。この円の中心の座標と半径を求めよ。

(2) 平面 $ax+(9-a)y-18z+45=0$ が，点 $(3,\ 2,\ 1)$ を中心とする半径 $\sqrt{5}$ の球面に接する。このとき，定数 a の値を求めよ。

124

練習(演習)**86** (1) 球面 $S : x^2 + y^2 + z^2 - 2y - 4z - 40 = 0$ と平面 $\alpha : x + 2y + 2z = a$ がある。球面 S と平面 α が共有点をもつとき，定数 a の値の範囲を求めよ。

(2) 点 $A(2\sqrt{3}, 2\sqrt{3}, 6)$ を中心とする球面 S が平面 $x + y + z - 6 = 0$ と交わってできる円の面積が 9π であるとき，S の方程式を求めよ。

演習 例題 87

2 つの球面 $S_1 : (x-1)^2 + (y-2)^2 + (z+3)^2 = 5$, $S_2 : (x-2)^2 + y^2 + (z+1)^2 = 8$ がある。球面 S_1 , S_2 の交わりの円を C とするとき,次のものを求めよ。

(1) 円 C の中心 P の座標と半径 r

(2) 円 C を含む平面 α の方程式

練習 ⦅演習⦆**87**　2 つの球面 $S_1 : (x-1)^2 + (y-1)^2 + (z-1)^2 = 7$, $S_2 : (x-2)^2 + (y-3)^2 + (z-3)^2 = 1$ がある。球面 S_1, S_2 の交わりの円を C とするとき，次のものを求めよ。

(1)　円 C の中心 P の座標と半径 r

(2)　円 C を含む平面 α の方程式

$\boxed{演}\boxed{習}$ 例題 88

(1) 直線 $\ell : \dfrac{x-2}{4} = \dfrac{y+1}{-1} = z-3$ と平面 $\alpha : x-4y+z=0$ のなす角を求めよ。

(2) 点 A $(1,\ 1,\ 0)$ を通り，直線 $\dfrac{x-6}{3} = y-2 = \dfrac{1-z}{2}$ に垂直な平面の方程式を求めよ。

練習(演習)**88** (1) 直線 $\ell : x+1 = \dfrac{y+2}{4} = z-3$ と平面 $\alpha : 2x+2y-z-5=0$ のなす角を求めよ。

(2) 点 $(1,\ 2,\ 3)$ を通り，直線 $\dfrac{x-1}{2} = \dfrac{y+2}{-2} = z+3$ に垂直な平面の方程式を求めよ。

演 習 例題 89　□　解説動画

2 平面 $\alpha : 3x - 2y + 6z - 6 = 0$ …… ①,　$\beta : 3x + 4y - 3z + 12 = 0$ …… ② の交線を ℓ とする。

(1)　交線 ℓ の方程式を $\dfrac{x - x_1}{l} = \dfrac{y - y_1}{m} = \dfrac{z - z_1}{n}$ の形で表せ。

(2)　交線 ℓ を含み，点 $\mathrm{P}(1,\ -9,\ 2)$ を通る平面 γ の方程式を求めよ。

練習 (演習) **89**　2 平面 $\alpha : x - 2y + z + 1 = 0$ …… ①,　$\beta : 3x - 2y + 7z - 1 = 0$ …… ② の交線を ℓ とする。

(1)　交線 ℓ の方程式を $\dfrac{x - x_1}{l} = \dfrac{y - y_1}{m} = \dfrac{z - z_1}{n}$ の形で表せ。

(2)　交線 ℓ を含み，点 $\mathrm{P}(1,\ 2,\ -1)$ を通る平面 γ の方程式を求めよ。